folio benjamin

Traduction de Marie Saint-Dizier et Raymond Farré

ISBN : 2-07-054791-4
Titre original : *Badger's Parting Gifts*
Publié par Andersen Press Ltd., Londres
© Susan Varley, 1984, pour le texte et les illustrations
© Gallimard Jeunesse, 1984, pour la traduction française,
2001, pour la présente édition

Numéro d'édition : 146316
Loi n° 46-956 du 16 juillet 1949
sur les publications destinées à la jeunesse
1er dépôt légal : octobre 2001
Dépôt légal : août 2006
Imprimé en Italie par Editoriale Lloyd
Réalisation Octavo

Susan Varley

Au revoir Blaireau

GALLIMARD JEUNESSE

Blaireau était un ami sûr,
toujours prêt à rendre service.
Très vieux, il connaissait
presque tout de la vie et savait
aussi qu'il devait mourir bientôt.
Blaireau n'avait pas peur
de la mort. Pour lui, mourir,
c'était simplement quitter
son corps. Cela ne l'inquiétait guère,
car son corps ne fonctionnait plus aussi
bien que dans sa jeunesse.

Une seule chose le tourmentait :
la peine qu'éprouveraient ses amis.
Pour les préparer, Blaireau
leur avait dit que, bientôt,
il descendrait dans le Grand Tunnel
et il espérait qu'ils n'auraient
pas trop de chagrin.
Un jour, Blaireau regardait Taupe
et Grenouille dévaler la colline.
Il se sentait particulièrement vieux
et fatigué. Il aurait souhaité
plus que tout au monde
courir avec eux,

mais ses vieilles jambes
ne le lui auraient pas permis.

Il regarda un moment ses amis s'amuser

et ce spectacle lui fit plaisir.

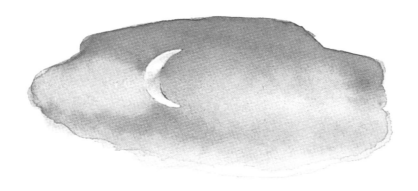

Ce soir-là, il rentra tard au logis.
Il dit bonsoir à la lune
et tira les rideaux.
Dehors il faisait froid.
Il se glissa lentement
vers le bon feu qui l'attendait,
tout au fond de son terrier.

Il dîna puis s'assit à son bureau
pour écrire une lettre.
Lorsqu'il eut fini, il s'installa
dans son fauteuil à bascule,
près de la cheminée.
Il se balança doucement.
Bientôt il s'endormit
et fit un étrange et merveilleux rêve,

un rêve comme jamais il n'en avait eu.

À sa grande surprise,
Blaireau courait, agile et vigoureux.
Devant lui s'ouvrait
un très grand tunnel.
Il abandonnait sa canne,
il n'en avait plus besoin.
Il courait vite, de plus en plus vite,
dans ce Grand Tunnel,
et puis, soudain, ses pattes
ne touchèrent plus le sol.
Il se sentit basculer, tête en bas,

et tomber, tomber…
Blaireau se sentait libre.

C'était comme s'il avait quitté son corps.

Le lendemain,
les amis de Blaireau
se rassemblèrent devant sa porte.
Ils s'inquiétaient, parce que
leur ami n'était pas sorti
pour leur dire bonjour
comme d'habitude.
Renard leur apprit la triste nouvelle :
Blaireau était mort,
et il leur lut sa lettre.

Elle disait simplement :
« Je suis descendu
dans le Grand Tunnel.
Au revoir. Blaireau. »
Tous les animaux aimaient Blaireau
et tous furent tristes.

Taupe, surtout, se sentit seul,

perdu et très malheureux.

Toute la nuit,
blotti sous ses couvertures,
Taupe pensa à Blaireau.
De grosses larmes roulaient
sur ses joues de velours.
Dehors, l'hiver avait commencé.
Bientôt, une épaisse couche de neige
recouvrit les terriers douillets
où les animaux s'abritaient.

La neige recouvrait
toute la campagne,
mais les amis de Blaireau
n'avaient pas oublié leur tristesse.
Blaireau était toujours là
quand on avait besoin de lui.
Tous les animaux se demandaient
que faire maintenant qu'il était parti.

Blaireau leur avait demandé
de ne pas être malheureux,

mais c'était bien difficile.

À l'approche du printemps,
les animaux se réunirent souvent

et parlèrent du temps où Blaireau vivait
encore avec eux.

Taupe savait faire de belles
guirlandes en papier.
Il raconta qu'un jour,
Blaireau lui avait appris
à découper des petites taupes
dans du papier plié.

Au début, les découpages ratés
avaient jonché le sol.
Taupe avait été tout joyeux
lorsqu'il avait enfin réussi
à découper une ribambelle entière.

Grenouille était un excellent patineur.
Blaireau lui avait appris

à faire ses premiers pas
sur la glace.
Il l'avait gentiment guidé
jusqu'au jour où,
enfin sûr de lui,
Grenouille s'était élancé
et avait patiné tout seul.

Lorsqu'il était renardeau,
Renard n'arrivait jamais
à bien nouer sa cravate.
Blaireau lui avait montré
comment s'y prendre.
– Tu tiens le large bout
de la cravate, tu le passes par-dessus
le petit bout, tu formes une boucle,
tu rabats le large bout vers le devant,
puis tu le glisses dans la bouche,
tu serres le nœud et tu le remontes
vers le cou.

Maintenant, Renard savait faire
tous les nœuds possibles,
et même des nœuds de son invention.

Et bien sûr, sa cravate était toujours

impeccablement nouée.

Blaireau avait donné à Mme Lapin
la recette du pain d'épice.
Il lui avait même appris à fabriquer
des petits lapins.
Mme Lapin, qui, dans tout le pays,
avait la réputation d'être
une excellente cuisinière,
raconta sa première leçon
de cuisine avec Blaireau.
Il y avait bien longtemps de cela
et pourtant, elle sentait encore
la savoureuse odeur
du pain d'épice sorti du four.

Chacun avait un souvenir particulier
de Blaireau. À tous, il avait appris quelque
chose qu'ils faisaient maintenant
merveilleusement bien.

Et par ces merveilleux cadeaux,

Blaireau les avait rapprochés et unis.

La neige fondit
et la tristesse des animaux aussi.
Chaque fois que l'on prononçait
le nom de Blaireau, quelqu'un
se rappelait une autre histoire
qui redonnait le sourire à tous.

Par une belle journée de printemps,
alors qu'il se promenait
sur la colline
où il avait vu Blaireau
pour la dernière fois,
Taupe voulut remercier son ami pour
son merveilleux cadeau.
– Merci, Blaireau,
dit-il doucement.
Il pensait que Blaireau l'entendrait.

Et… sans doute…

Blaireau l'entendit.

folio benjamin